KU-189-748

IEORG IDUR

Boeken van Roald Dahl:

De fantastische meneer Vos
(Zilveren Griffel 1972)
Daantje, de wereldkampioen
(Zilveren Griffel 1977)
Sjakie en de chocoladefabriek
Sjakie en de Grote Glazen Lift
De reuzenperzik
Boy
Solo

met tekeningen van Tom Eyzenbach:
De tovervinger
Het wonderlijk verhaal van Hendrik Meier
(Zilveren Griffel en Gouden Penseel 1979)

met tekeningen van Quentin Blake:
De reuzenkrokodil
De Griezels
(Zilveren Griffel 1982)
Joris en de geheimzinnige toverdrank
Roald Dahl's Gruwelijke Rijmen
De GVR
(Zilveren Griffel 1984)
De heksen
Rotbeesten
De Giraffe, de Peli en ik
Matilda
Rijmsoep
IEORG IDUR

Roald Dahl

IEORG IDUR

vertaald door Huberte Vriesendorp

met tekeningen van Quentin Blake

Fontein

voor Clover en Luke

ISBN 90 261 0461 8
Oorspronkelijke titel: Esiotrot
Verschenen bij Jonathan Cape, Londen 1990

Vertaling: Huberte Vriesendorp
Verspreiding voor België: Uitgeverij Westland nv, Schoten

Een woordje vooraf

Jaren geleden, toen mijn eigen kinderen nog klein waren, hadden we meestal een of twee schildpadden in de tuin. In die tijd zag je bij mensen thuis vaak een schildpad rondhobbelen over het grasveld of in de achtertuin. Je kon ze heel goedkoop in iedere dierenwinkel kopen en er was waarschijnlijk geen huisdier dat zo weinig last gaf en zo onschadelijk was.

Schildpadden werden vroeger bij duizenden tegelijk in kisten naar ons land vervoerd, de meeste vanuit Noord-Afrika. Maar een paar jaar geleden werd het bij de wet verboden schildpadden in te voeren. Die wet was niet bedoeld om ons te beschermen. Schildpadjes zijn voor niets en niemand gevaarlijk. Het ging erom de schildpadden zelf te beschermen. Want de handelaren die ze invoerden, persten ze altijd met honderden tegelijk in kisten zonder eten of drinken. De reis hierheen was zo verschrikkelijk dat een groot deel van de schildpadden op zee stierf. Om een einde te maken aan die wrede praktijken heeft de regering de hele invoer toen maar verboden.

Wat je in dit verhaal gaat lezen, gebeurde in de tijd dat je in elke dierenwinkel nog een aardig schildpadje kon kopen.

IEORG IDUR

Meneer Hoppe woonde in een kleine flat boven in een groot betonnen gebouw. Hij woonde helemaal alleen. Hij was altijd een eenzame man geweest en na zijn pensioen was hij eenzamer dan ooit.

Meneer Hoppe had twee grote liefdes in zijn leven. De ene waren de bloemen die hij op zijn balkon kweekte. Ze stonden in potten, bakken en manden en 's zomers was het balkon een uitbundig feest van kleur.

De andere grote liefde van meneer Hoppe hield hij zorgvuldig geheim.

Het balkon onder dat van meneer Hoppe stak een eind verder uit het flatgebouw dan het zijne, dus kon meneer Hoppe altijd goed zien wat daar beneden gebeurde. Dit balkon behoorde toe aan een aantrekkelijke dame van middelbare leeftijd, die mevrouw Zilver heette. Mevrouw Zilver was weduwe en woonde ook alleen. En al wist zij er niets van, toch was zij de grote geheime liefde van meneer Hoppe. Vanaf zijn balkonnetje hield hij al vele jaren van haar, maar hij was erg verlegen en hij had zich er nooit toe kunnen brengen haar ook maar iets van zijn liefde te laten blijken.

Iedere ochtend wisselden meneer Hoppe en mevrouw Zilver beleefd een paar woordjes, waarbij de een van boven naar beneden en de ander van beneden naar boven keek, maar daar bleef het altijd bij. De afstand tussen hun balkons was misschien niet meer dan een paar meter, maar voor meneer Hoppe had het net zo goed een miljoen kilometer kunnen zijn. Hij verlangde er hartstochtelijk naar mevrouw Zilver uit te nodigen voor een kopje thee met een koekje, maar iedere keer dat de woorden hem op de lippen lagen, zakte de moed hem in de schoenen. Zoals ik al zei, hij was erg verlegen.

Ach, kon hij maar iets geweldigs doen zoals haar het leven redden of haar bevrijden uit handen van een bende gewapende boeven, zei hij altijd tegen zichzelf. Kon hij maar een grote daad verrichten die hem een held zou maken in haar ogen. Kon hij maar …

Het probleem met mevrouw Zilver was dat zij al haar liefde aan iemand anders gaf, en dat was een klein schildpadje, dat Rudi heette. Iedere dag zag meneer Hoppe vanaf zijn balkon hoe mevrouw Zilver Rudi lieve woordjes toefluisterde en zijn schild streelde, en werd hij groen van jaloezie. Hij had het niet erg gevonden zelf een schildpad te worden als mevrouw Zilver elke ochtend zijn schild zou strelen en hem lieve woordjes zou toefluisteren.

Rudi was al jaren bij mevrouw Zilver en hij woonde zomer en winter op haar balkon. Er waren planken rond het balkon getimmerd zodat Rudi rond kon wandelen zonder over de rand te tuimelen, en in een hoek stond een klein huisje waar Rudi 's nachts inkroop voor de warmte.

Wanneer het kouder werd in november vulde mevrouw Zilver Rudi's huisje op met hooi. Dan kroop de schildpad diep weg in het hooi en ging

maandenlang slapen zonder eten of drinken. Dat heet winterslaap.

Wanneer het in de lente warmer werd voelde Rudi dat door zijn schild heen en werd hij weer wakker. Dan kroop hij langzaam zijn huisje uit het balkon op en klapte mevrouw Zilver in haar handen van blijdschap. 'Wat heerlijk dat je er weer bent, lieveling!' riep ze dan. 'O, wat heb ik je gemist!'

Het was op zulke momenten dat meneer Hoppe meer dan ooit wenste dat hij een schildpad was en met Rudi kon ruilen.

Nu komen we bij een zekere zonnige ochtend in mei toen er iets gebeurde dat meneer Hoppe's saaie leven op slag veranderde. Die dag hing hij over de leuning van zijn balkon en keek naar mevrouw Zilver, die Rudi zijn ontbijt gaf.

'Hier heb je het hartje van de sla, schatje,' zei ze. 'En hier nog een vers plakje tomaat en een knapperige stengel selderie.'

'Goedemorgen, mevrouw Zilver,' zei meneer Hoppe. 'Rudi ziet er goed uit vanmorgen.'

Mevrouw Zilver keek stralend omhoog. 'Ja, is hij niet prachtig!' zei ze.

'O ja, schitterend,' zei meneer Hoppe al meende hij er niets van. Hij keek neer op het glimlachende gezicht van mevrouw Zilver en hij dacht voor de duizendste keer hoe knap ze was, hoe lief en aardig en hartelijk, en zijn hart kromp ineen van liefde.

'Ik wou alleen dat hij wat sneller *groeide,*' zei

mevrouw Zilver. 'Iedere lente na zijn winterslaap weeg ik hem op mijn keukenweegschaal. En weet u dat hij in die elf jaar dat ik hem heb, niet meer dan *een ons* is aangekomen! Dat is haast *niks*!'

'Hoeveel weegt hij nu?' vroeg meneer Hoppe.

'Bijna een pond,' antwoordde mevrouw Zilver. 'Ongeveer net zoveel als een grapefruit.'

'Tja, schildpadden groeien altijd heel langzaam,' zei meneer Hoppe plechtig. 'Maar ze kunnen wel honderd jaar oud worden.'

'Dat weet ik wel,' zei mevrouw Zilver, 'maar ik wou toch dat hij een klein beetje groter werd. Het is zo'n miezerig diertje.'

'Hij lijkt me prima zoals hij is,' zei meneer Hoppe.

'Nee, hij is *niet* prima!' riep mevrouw Zilver. 'Stelt u zich eens voor hoe hij zich moet voelen, zo klein te zijn! Iedereen wil toch groot zijn.'

'U zou echt graag willen dat hij groter werd, hè?' vroeg meneer Hoppe en terwijl hij dat vroeg klikte er iets in zijn hoofd en viel hem een wonderbaarlijk idee in.

'Ja, natuurlijk zou ik dat graag willen!' riep mevrouw Zilver. 'Ik zou er alles voor over hebben. Heus, ik heb plaatjes gezien van reuzenschildpadden die zo groot zijn dat mensen op hun schild kunnen rijden! Als Rudi dat zag zou hij groen en geel zien van jaloezie!'

Meneer Hoppe's hoofd draaide als een tol. Was

dit niet zijn grote kans? Grijp die kans, zei hij tegen zichzelf. Grijp die kans en snel!

'Mevrouw Zilver,' zei hij. 'Toevallig weet ik hoe je schildpadden sneller kunt laten groeien, als u dat werkelijk wilt.'

'Echt waar?' riep ze. 'O, alstublieft! Geef ik hem soms verkeerde dingen te eten?'

'Ik heb vroeger een tijdje in Noord-Afrika gewerkt,' zei meneer Hoppe. 'Daar komen alle schildpadden in ons land vandaan. Een rondtrekkende bedoeïen heeft me het geheim verteld.'

'Vertel dan!' riep mevrouw Zilver. 'Ik smeek u het me te vertellen, meneer Hoppe. Ik zal uw slavin zijn tot het einde van mijn dagen.'

Bij de woorden *uw slavin tot het einde van mijn dagen*, ging een rilling van opwinding door meneer Hoppe heen. 'Een ogenblikje,' zei hij. 'Ik moet even naar binnen om iets voor u op te schrijven.'

Een paar minuten later kwam meneer Hoppe weer naar buiten met een velletje papier in zijn hand. 'Ik zal het aan een touwtje naar beneden laten zakken,' zei hij, 'anders waait het misschien weg. Hier komt het.'

Mevrouw Zilver pakte het papier en hield het voor zich. Dit is wat ze las:

IEORG IDUR, IEORG IDUR
DROW RETORG NE RETORG
TIUROOV, IEORG,
IEORG RETORG, REKKID, REDERB!
IEORG ROOD, IDUR, IEORG ROOD!
TEE! TEERV EJ LOV! LEKKIMS! LUMS!
TEE PO, LEZUEP PO, KOLS PO, PAH PO!
TIUROOV IDUR, TEE PO NE IEORG!

'Wat betekent dat?' vroeg ze. 'Is het een vreemde taal?'

'Dat is schildpadtaal,' zei meneer Hoppe. 'Aan schildpadden die zich in hun schild hebben teruggetrokken, kun je vaak niet zien wat voor en achter is. Zelf hebben ze ook altijd moeite met het verschil tussen voor en achter. Daarom kunnen ze alleen maar woorden begrijpen van achteren naar voren. Dat is logisch, hè?'

'Tja, misschien wel,' zei mevrouw Zilver beduusd.

'Ieorg Idur is gewoon *groei Rudi* achterstevoren gespeld,' zei meneer Hoppe. 'Kijk maar.'

'Ik zie het,' zei mevrouw Zilver.

'De andere woorden staan ook achterstevoren,' zei meneer Hoppe. 'Als je ze omdraait staat er in gewone mensentaal:

GROEI RUDI, GROEI RUDI
WORD GROTER EN GROTER
VOORUIT, GROEI,
GROEI GROTER, DIKKER, BREDER!
GROEI DOOR, RUDI, GROEI DOOR!
EET! VREET JE VOL! SMIKKEL! SMUL!
EET OP, PEUZEL OP, SLOK OP, HAP OP!
VOORUIT RUDI, EET OP EN GROEI!'

Mevrouw Zilver bekeek de toverspreuk op het papier van dichtbij. 'Ik geloof dat u gelijk hebt,' zei ze. 'Wat slim. Maar er staan wel een hoop po's in. Is dat iets speciaals?'

'Po is in alle talen een krachtterm,' zei meneer Hoppe, 'vooral in schildpadtaal. Wat u nu moet doen, mevrouw Zilver, is driemaal daags Rudi voor uw gezicht houden en hem deze woorden toefluisteren, 's morgens, 's middags en 's avonds. Probeert u het maar eens.'

Heel langzaam, nu en dan struikelend over de vreemde woorden, las mevrouw Zilver de hele boodschap hardop voor in schildpadtaal.

'Niet gek,' zei meneer Hoppe. 'Maar probeer er een beetje meer gevoel in te leggen wanneer u het Rudi voorleest. Als u het goed doet wil ik wedden dat hij binnen een paar maanden twee keer zo groot is als nu.'

'Ik zal het proberen,' zei mevrouw Zilver. 'Ik wil alles wel proberen. Dat spreekt vanzelf. Maar ik kan niet geloven dat het zal werken.'

'Wacht maar af,' zei meneer Hoppe glimlachend.

Weer binnen in zijn flat stond meneer Hoppe gewoonweg op zijn benen te trillen van opwinding. *Uw slavin tot het einde van mijn dagen,* herhaalde hij voortdurend in zichzelf. Wat zalig!

Maar hij had nog heel wat te doen voor het zover was.

De enige meubels in meneer Hoppe's kleine zitkamertje waren een tafel en twee stoelen. Deze zette hij in zijn slaapkamer. Daarna ging hij de deur uit, kocht een groot stuk tentzeil en spreidde dit uit over de hele vloer van zijn zitkamer om zijn kleed te beschermen.

Daarna pakte hij de Gouden Gids en schreef de adressen van alle dierenwinkels in de stad op. Het waren er veertien, alles bij elkaar.

Hij deed er twee dagen over om alle dierenwinkels te bezoeken en zijn schildpadden uit te zoeken. Hij had er een heleboel nodig, minstens honderd, en misschien nog wel meer. En hij moest ze heel zorgvuldig uitzoeken.

Jij en ik zien niet veel verschil tussen de ene schildpad en de andere. Ze verschillen alleen in maat en in de kleur van hun schild. Rudi had een nogal donker schild, dus koos meneer Hoppe alleen donkere schildpadden uit voor zijn grote verzameling.

De grootte, daar ging het natuurlijk om. Meneer Hoppe nam schildpadden in allerlei verschillende maten. Sommige wogen weinig meer dan Rudi, andere veel meer. Schildpadden die minder wogen, hoefde hij niet.

'Geef ze koolbladeren te eten,' zeiden de mensen van de dierenwinkels. 'Meer hebben ze niet nodig. En een kommetje water.'

Toen hij klaar was had meneer Hoppe in zijn enthousiasme niet minder dan honderdveertig schildpadden gekocht, die hij met tien à vijftien tegelijk in manden mee naar huis sjouwde. Hij was een hele tijd op pad en na afloop was hij doodop, maar het was het waard. Dat stond als een paal boven water! En wat een wonderbaarlijk gezicht bood zijn zitkamer toen ze er allemaal waren! Het krioelde er van de schildpadden in alle maten.

Sommige liepen langzaam rond om de kamer te verkennen, andere knabbelden op koolbladeren, weer andere dronken water uit een grote platte schaal. Ze maakten alleen een zacht ritselend geluid over het zeil en dat was alles. Meneer Hoppe moest heel voorzichtig op zijn tenen door deze bewegende zee van bruine schilden waden wanneer hij door de kamer liep. Maar nu was het genoeg. Hij moest aan de slag.

Voor hij met pensioen ging werkte meneer Hoppe als monteur in een garage waar bussen werden gerepareerd. Nu ging hij terug naar zijn vroegere werkplaats en vroeg aan zijn vrienden of hij zijn oude werkbank een uur of twee mocht gebruiken.

Hij moest iets maken waarmee hij vanaf zijn eigen balkon mevrouw Zilvers balkon kon bereiken en waarmee hij een schildpad op kon pakken. Dat was niet moeilijk voor een goede monteur zoals meneer Hoppe.

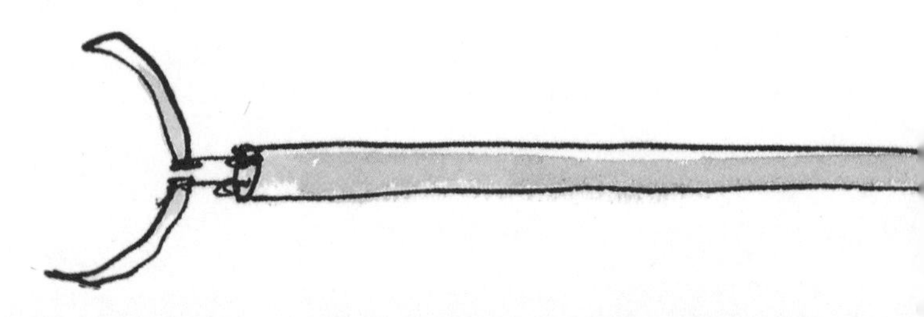

Eerst maakte hij twee metalen grijpers of vingers en die bevestigde hij aan het einde van een lange metalen buis. Hij liet twee stijve draden binnen door de buis lopen en maakte de metalen grijpers er zo aan vast dat ze dichtgingen wanneer je aan de draden trok, en open wanneer je drukte. De draden zaten aan een handvat aan het andere uiteinde van de buis. Het was allemaal doodeenvoudig.

Meneer Hoppe kon beginnen.

Mevrouw Zilver werkte halve dagen buitenshuis. Doordeweeks werkte ze iedere middag van twaalf tot vijf uur in een winkel die kranten en snoep verkocht. Dat maakte alles een stuk gemakkelijker voor meneer Hoppe.

Die eerste opwindende middag lette hij goed op en toen mevrouw Zilver naar haar werk was, ging hij zijn balkon op, gewapend met zijn lange metalen stok. Hij noemde die zijn schildnijptang. Hij boog zich over de leuning van zijn balkon en liet de stok omlaag zakken naar het balkon van mevrouw Zilver. Rudi koesterde zich aan de zijkant in een bleek zonnetje.

'Ha die Rudi,' zei meneer Hoppe. 'Jij gaat een luchtreisje maken.'

Hij wiebelde de schildnijptang heen en weer tot hij recht boven Rudi was. Hij drukte tegen het handvat zodat de grijpers wijd opengingen. Daarna liet hij de twee grijpers over Rudi's schild zakken en trok aan het handvat. De grijpers sloten zich vast om het schild als de vingers van een hand. Hij hees Rudi op naar zijn eigen balkon. Het was een peuleschil.

Meneer Hoppe woog Rudi op zijn eigen keukenweegschaal om te zien of hij echt een pond woog zoals mevrouw Zilver had gezegd. Het klopte.

Met Rudi in één hand waadde hij voorzichtig door zijn enorme verzameling schildpadden om er een uit te zoeken die ten eerste dezelfde kleur schild had als Rudi en ten tweede precies vijfenzeventig gram meer woog.

Vijfenzeventig gram is niet veel. Het is ongeveer zoveel als het gewicht van een kippeëi. Maar je moet weten dat het belangrijkste deel van meneer Hoppe's plan was, ervoor te zorgen dat de nieuwe schildpad wel groter was dan Rudi, maar niet meer dan een *heel klein beetje* groter. Het verschil moest zo klein zijn dat mevrouw Zilver niets zou merken.

Het was niet moeilijk voor meneer Hoppe in zijn reusachtige verzameling de goede schildpad te vinden. Hij wilde er een hebben die op zijn keukenweegschaal precies 575 gram woog, niet meer en niet minder. Toen hij hem had gevonden, zette hij hem op de keukentafel naast Rudi en zelfs hij kon haast niet zien dat de ene groter was dan de andere. Maar hij *was* groter. Hij was vijfenzeventig gram groter. Dit was schildpad nummer 2.

Meneer Hoppe nam schildpad nummer 2 mee naar het balkon en pakte hem vast met zijn schildnijptang. Daarna liet hij hem neer op mevrouw Zilvers balkon, vlak naast een lekker vers blaadje sla.

Schildpad nummer 2 had nog nooit zulke knapperige, sappige slablaadjes gegeten. Hij had alleen maar dikke taaie koolbladeren gehad. Hij vond de sla heerlijk en begon smakelijk te knabbelen.

Nu moest hij twee zenuwslopende uren lang wachten tot mevrouw Zilver thuiskwam van haar werk.

Zou ze verschil zien tussen de nieuwe schildpad en Rudi? Het zou erom spannen.

Daar kwam mevrouw Zilver haar balkon opgestapt.

'Rudi, liefje!' riep ze. 'Mammie is thuis! Heb je me gemist?'

Meneer Hoppe, die over de rand van zijn balkon tuurde vanachter twee grote potplanten, hield zijn adem in.

De nieuwe schildpad knabbelde nog steeds druk aan de sla.

'Nee maar, Rudi, wat heb jij een honger vandaag,' zei mevrouw Zilver. 'Dat komt vast door meneer Hoppe's toverspreuk die ik je steeds toegefluisterd heb.'

Meneer Hoppe zag hoe mevrouw Zilver de schildpad oppakte en zijn schild streelde. Toen viste ze meneer Hoppe's papiertje uit haar zak, hield de schildpad vlak voor haar gezicht en fluisterde de woorden op het papier:

'IEORG IDUR, IEORG IDUR
DROW RETORG NE RETORG
TIUROOV, IEORG,
IEORG RETORG, REKKID, REDERB!
IEORG ROOD, IDUR, IEORG ROOD!
TEE! TEERV EJ LOV! LEKKIMS! LUMS!
TEE PO. LEZUEP PO, KOLS PO, PAH PO!
TIUROOV IDUR, TEE PO NE IEORG!'

Meneer Hoppe stak zijn hoofd tussen de bladeren door en riep: 'Goedenavond, mevrouw Zilver, hoe gaat het vandaag met Rudi?'

'O, fantastisch,' zei mevrouw Zilver terwijl ze stralend opkeek. 'En hij heeft toch zo'n eetlust! Ik heb hem nog nooit zo zien schranzen! Dat komt vast door de toverspreuk.'

'Wie zal het zeggen,' zei meneer Hoppe duister. 'Wie zal het zeggen.'

Meneer Hoppe wachtte zeven hele dagen voor hij de volgende stap deed.

Op de middag van de zevende dag toen mevrouw Zilver naar haar werk was, tilde hij schildpad nummer 2 van het balkon beneden en nam hem mee naar zijn zitkamer. Nummer 2 had precies 575 gram gewogen. Nu moest hij er een uitzoeken die precies vijfenzeventig gram meer woog.

In zijn reusachtige verzameling vond hij algauw een schildpad van 650 gram en ook dit keer lette hij er goed op dat zijn schild dezelfde kleur had. Daarna liet hij schildpad nummer 3 op mevrouw Zilvers balkon neer.

Je zult onderhand wel geraden hebben dat meneer Hoppe's geheim heel eenvoudig was. Als een dier maar langzaam genoeg groeit – en dan bedoel ik echt langzaam – dan merk je niet dat hij gegroeid is, vooral niet wanneer je hem elke dag ziet.

Met kinderen gaat het net zo. Ze groeien elke week wel een stukje, maar hun moeders merken er niets van tot ze uit hun kleren zijn gegroeid.

Langzaam aan, zei meneer Hoppe tegen zichzelf. Niets overhaasten.

Dus de volgende acht weken ging het zo:

In het begin

RUDI gewicht 500 gram

Na een week

SCHILDPAD NR 2 gewicht 575 gram

Na twee weken

SCHILDPAD NR 3 gewicht 650 gram

Na drie weken

SCHILDPAD NR 4 gewicht 725 gram

Na vier weken

SCHILDPAD NR 5 gewicht 800 gram

Na vijf weken

SCHILDPAD NR 6 gewicht 875 gram

Na zes weken

SCHILDPAD NR 7 gewicht 950 gram

Na zeven weken

SCHILDPAD NR 8 gewicht 1025 gram

Rudi woog een pond. Schildpad nummer 8 ruim een kilo. In zeven weken tijd was mevrouw Zilvers huisdier heel langzaam meer dan twee keer zo zwaar geworden en die lieve dame had er niets van gemerkt.

Zelfs in de ogen van meneer Hoppe, die over de rand van zijn balkon tuurde, zag schildpad nummer 8 er behoorlijk groot uit. Het was heel merkwaardig dat mevrouw Zilver niets van de hele operatie had gemerkt. Ze had maar één keer opgekeken en gezegd: 'Zal ik u eens wat zeggen, meneer Hoppe, ik geloof echt dat hij een beetje groter wordt. Wat denkt u?'

'Ik zie niet zoveel verschil,' had meneer Hoppe luchtig geantwoord.

Maar nu was het misschien tijd ermee op te houden. Die avond wilde meneer Hoppe net zijn balkon opgaan om mevrouw Zilver aan te raden Rudi eens te wegen, toen een verraste kreet van beneden hem spoorslags naar buiten riep.

'Kijk nou toch eens!' schreeuwde mevrouw Zilver. 'Rudi kan niet meer door de deur van zijn huisje! Hij moet geweldig gegroeid zijn!'

'Ga hem wegen,' commandeerde meneer Hoppe. 'Neem hem mee naar binnen en weeg hem vlug.'

Dat deed mevrouw Zilver. Een halve minuut later kwam ze terughollen. Ze zwaaide de schildpad met twee handen boven haar hoofd heen en weer en schreeuwde: 'Weet u wat, meneer Hoppe? Weet u wat? Hij weegt meer dan een kilo! Hij is twee keer zo groot als hij was! O mijn schat!' riep ze terwijl ze de schildpad streelde. 'O, jij grote, geweldige jongen! Dat heb je aan die knappe meneer Hoppe te danken!'

Meneer Hoppe voelde zich ineens heel dapper. 'Mevrouw Zilver,' zei hij. 'Zou u er bezwaar tegen hebben dat ik even naar beneden kom om Rudi zelf vast te houden?'

'Nee, natuurlijk niet!' riep mevrouw Zilver. 'Kom maar gauw!'

Meneer Hoppe rende de trap af en mevrouw Zilver deed de deur voor hem open. Samen gingen ze het balkon op. 'Kijk toch eens naar hem!' zei mevrouw Zilver trots. 'Is hij niet kolossaal?'

'Hij is nu een mooi formaat schildpad,' zei meneer Hoppe.

'En dat hebt u voor elkaar gekregen!' riep mevrouw Zilver. 'U bent een tovenaar, dát bent u!'

'Maar wat doe ik nou met zijn huis?' zei mevrouw Zilver. 'Hij moet een huisje hebben voor de nacht en nu kan hij niet meer door de deur.'

Ze stonden op het balkon te kijken naar de schildpad die probeerde zich zijn huisje in te wringen. Maar hij was te groot.

'Ik zal het deurtje groter moeten maken,' zei mevrouw Zilver.

'Niet doen,' zei meneer Hoppe. 'Het is zonde om zo'n mooi huisje te vernielen. Tenslotte hoeft hij maar een heel klein beetje kleiner te worden en hij kan er weer in.'

'Hoe kan hij in hemelsnaam kleiner worden?' vroeg mevrouw Zilver.

'Gewoon,' zei meneer Hoppe. 'De toverspreuk

een beetje veranderen. In plaats van zeggen dat hij groter en groter moet worden, zegt u dat hij iets kleiner moet worden. Maar dan natuurlijk in schildpadtaal.'

'Zou dat helpen?'

'Ja natuurlijk helpt dat.'

'Zegt u maar precies wat ik moet zeggen, meneer Hoppe.'

Meneer Hoppe pakte een papiertje en een potlood en schreef:

IEORG TEIN, IDUR, RAAM PMIRK,
DROW REVEIL STEI RENIELK.

'Dat is genoeg, mevrouw Zilver,' zei hij en gaf haar het papiertje.

'Ik wil het best proberen,' zei mevrouw Zilver. 'Maar hoor eens, hij wordt toch niet weer zo petieterig klein, hè meneer Hoppe?'

'Wel nee, mevrouwtje, heus niet,' zei meneer Hoppe. 'Zegt u het alleen vanavond en morgenochtend en kijk wat er gebeurt. Misschien hebben we geluk.'

'Als het werkt,' zei mevrouw Zilver en legde haar hand zachtjes op zijn arm, 'dan bent u de knapste man ter wereld.'

Zodra mevrouw Zilver de volgende dag naar haar werk was, tilde meneer Hoppe de schildpad op van haar balkon en nam hem mee naar binnen. Nu moest hij nog een schildpad vinden die een beetje kleiner was zodat hij net door de deur van het huisje kon.

Hij koos er een uit en liet hem neer met zijn schildnijptang. Zonder de schildpad los te laten probeerde hij of hij door het deurtje kon. Dat ging niet.

Hij zocht een andere uit. Daar probeerde hij het ook mee. Deze kon er wel door. Mooi. Hij zette de schildpad midden op het balkon naast een lekker blaadje sla en ging naar binnen om te wachten op de terugkeer van mevrouw Zilver.

Die avond stond meneer Hoppe zijn planten op het balkon water te geven toen hij plotseling mevrouw Zilver hoorde schreeuwen. Haar stem klonk schril van opwinding.

'Meneer Hoppe! Meneer Hoppe! Waar bent u?' riep ze. 'Kom eens kijken!'

Meneer Hoppe stak zijn hoofd over de leuning en vroeg: 'Wat is er aan de hand?'

'O, meneer Hoppe, het is gelukt!' riep ze. 'Uw toverspreuk heeft alweer gewerkt op Rudi! Hij kan nu door de deur van zijn huisje! Het is een wonder!'

'Mag ik beneden komen om het te zien?' riep meneer Hoppe terug.

'Kom maar gauw, mijn beste!' antwoordde mevrouw Zilver. 'Kom maar zien wat u weer voor wonderen hebt verricht met mijn lieve Rudi.'

Meneer Hoppe draaide zich om en rende het balkon af de woonkamer in, waar hij op zijn tenen als een balletdanser tussen de zee van schildpadden op de vloer door sprong. Hij gooide zijn voordeur open en vloog de trap af met twee treden tegelijk terwijl de liefdesliederen van duizend cupido's in zijn oren galmden. *Dit is het dan!* fluisterde hij zachtjes in zichzelf. *Dit wordt het belangrijkste ogenblik van mijn leven! Ik moet het niet verpratsen. Ik moet het niet verprutsen! Ik moet doodkalm blijven!* Toen hij bijna beneden was zag hij mevrouw Zilver al in de open deur staan wachten om hem welkom te heten met een brede glimlach op haar gezicht. Ze sloeg haar armen om hem heen en riep: 'U bent echt de meest fantastische man die ik ooit heb ontmoet! U kunt echt alles! Kom gauw binnen dan zal ik een kopje thee voor u zetten. Dat is wel het minste wat ik voor u kan doen!'

Meneer Hoppe zat in een gemakkelijke stoel in mevrouw Zilvers salon en nipte van zijn thee. Hij was op van de zenuwen. Hij keek naar de verrukkelijke dame tegenover hem en glimlachte haar toe. Zij glimlachte terug.

Die glimlach van haar, zo warm en vriendelijk, gaf hem plotseling de moed die hij nodig had en hij zei: 'Mevrouw Zilver, wilt u alstublieft met me trouwen?'

'Nee maar, meneer Hoppe!' riep ze. 'Ik dacht al dat u me nooit zou vragen! Ja, natuurlijk wil ik met u trouwen!'

Meneer Hoppe zette zijn kopje neer en ze stonden allebei op en omhelsden elkaar vurig midden in de kamer.

'Dat hebben we allemaal aan Rudi te danken,' zei mevrouw Zilver, een beetje buiten adem.

'Goeie, ouwe Rudi,' zei meneer Hoppe. 'We zullen hem voor altijd bij ons houden.'

De volgende middag bracht meneer Hoppe alle andere schildpadden terug naar de dierenwinkels en zei dat ze ze voor niets mochten hebben. Daarna boende hij zijn woonkamer schoon tot er geen koolblaadje en geen spoor van de schildpadden meer te bekennen was.

Een paar weken later werd mevrouw Zilver mevrouw Hoppe en samen leefden ze nog lang en gelukkig.

P.S. Je vraagt je misschien af wat er met Rudi, de allereerste schildpad, is gebeurd. Nou, hij werd een week later bij een van de dierenwinkels gekocht door een klein meisje, dat Roberta Kwips heette, en hij woonde voortaan in Roberta's achtertuin. Iedere dag gaf ze hem slablaadjes, schijfjes tomaat en knapperige selderiestengels. En 's winters deed hij zijn winterslaap in een doos vol droge bladeren in de schuur.

Dat was een hele tijd geleden. Roberta is nu groot, ze is getrouwd en heeft zelf twee kinderen. Ze woont in een ander huis, maar Rudi is nog steeds bij haar, en de hele familie is nog even dol op hem. Roberta heeft berekend dat hij onderhand dertig jaar oud moet zijn. Al die tijd heeft hij nodig gehad om twee keer zo groot te worden als in de tijd dat hij bij mevrouw Zilver woonde. Maar uiteindelijk is het hem toch gelukt.